Trouvez inscription pour Woolworth Bldg comme ready-made.

Marcel Duchamp, 1916

Finn en titel för Woolworth Bldg som ready-made.

Marcel Duchamp, 1916

New York Collection for Stockholm

FOR TINA.
1/12/83

New York Collection for Stockholm
October 27 - December 2, 1973

Committee for Exhibition:
Björn Springfeldt, Billy Klüver
Secretariat: Milla Trägårdh, Julie Martin
Press relations: Anna Rappe
Editor of catalog: Björn Springfeldt
Translation into English: Keith Bradfield
Typography: Gösta Svensson
Cover: Robert Whitman
Poster for the Exhibition: Robert Rauschenberg
Production and print:
Tryckerigruppen i Malmö AB
Cat. No. 111 from Moderna Museet, Stockholm
ISBN 91-7100-030-5
Printed in Sweden

Photo: Leo Castelli Gallery, Cavendish Photographic Inc., Ferdinand Boeson, Roxanne Everett, Red Grooms, Los Angeles County Museum of Art, Marlborough Gallery Inc., Eric Pollitzer, Walter Russel, Malcolm Varon, John Weber Gallery

New York Collection for Stockholm
27 oktober - 2 december 1973

Utställningskommitté:
Björn Springfeldt, Billy Klüver
Kansli: Milla Trägårdh, Julie Martin
Presskommissarie: Anna Rappe
Katalogredaktör: Björn Springfeldt
Översättning till engelska: Keith Bradfield
Typografi: Gösta Svensson
Omslag: Robert Whitman
Utställningens affisch: Robert Rauschenberg
Produktion och tryck:
Tryckerigruppen i Malmö AB
Moderna Museets utställningskatalog nr 111
ISBN 91-7100-030-5
Printed in Sweden

Foto: Leo Castelli Gallery, Cavendish Photographic Inc., Ferdinand Boeson, Roxanne Everett, Red Grooms, Los Angeles County Museum of Art, Marlborough Gallery Inc., Eric Pollitzer, Walter Russel, Malcolm Varon, John Weber Gallery

New York Collection for Stockholm

Pontus Hultén

The Project: New York Collection for Stockholm

In November 1971, J. Wilhelm Klüver asked me to come to New York to discuss a project that had by then been in the picture for some months. The point at issue was whether it was worth trying to make up a collection of important works created by American and European artists active in New York during the 60's, and if so where such a collection should be housed.

Billy Klüver is one of Moderna Museet's oldest friends, from the time he was working in Paris, in the mid-50's, and helped us procure films for our earliest film series.

The organization of which Billy Klüver is president, and for which he took the initiative, Experiments in Art and Technology (EAT), has during the 60's played the more important main role in the art life of New York, outside the official museums, the galleries, and the dealers.

This organization was born of a collaboration with a number of young artists, primarily Jasper Johns, Robert Rauschenberg and Jean Tinguely, with whom Billy Klüver had started to work in the late 50's when he helped them to explore the technical problematology to which their dreams of a new art had led them.

In our days technology totally dominates every step of everyday life. The artist's creativity is only slowly reestablishing its prestige, after having been almost wholly eclipsed by science and technology during the nineteenth century. During that time, artists lost the tradition of an understanding of materials and their capacities. Art and science, emotion and reason, became divorced and developed independently.

To confront the men who are shaping the new technology with the sense of individual responsibility and freedom that reigns in art is therefore an important task. What must be abolished is the determinist notion that technology develops independently of the people who work with it. Since technology is nothing but a tool, it is neutral. Those who work with it must

Pontus Hultén

Projektet New York Collection for Stockholm

I november månad 1971 bad J. Wilhelm Klüver undertecknad att komma till New York för att tala om ett projekt som då hade varit aktuellt under några månader redan. Det gällde att diskutera om det var värt att försöka sammanställa en samling betydande verk gjorda av amerikanska och europeiska konstnärer verksamma i New York under sextiotalet och var en sådan samling i så fall borde placeras.

Billy Klüver tillhör Moderna Museets allra äldsta vänner, ända sedan han arbetade i Paris i mitten på femtiotalet, då han hjälpte oss med att skaffa fram filmerna till våra första filmserier.

Den organisation i vilken Billy Klüver är ordförande och till vilken han också är initiativtagare, Experiments in Art and Technology (EAT), har under sextiotalet, utanför det officiella museiväsendet, konstgallerierna och konsthandeln, spelat den viktigare huvudrollen i New Yorks konstliv.

Organisationen föddes ur det samarbete med några unga konstnärer, framför allt Jasper Johns, Robert Rauschenberg och Jean Tinguely, som Billy Klüver hade satt igång med under femtiotalets sista år, då han hjälpte dem att utforska de tekniska problemkomplex som deras drömmar om en ny konst förde dem in i.

Teknologin dominerar i vår tid totalt varje del av vardagslivet. Endast långsamt och med svårighet har det konstnärliga förhållningssättet lyckats återvinna något av sitt inflytande, efter att under 1800-talet ha varit nästan helt undanskymt av vetenskapen och teknologin. Då förlorade konstnären kontakten med de nya materialen, och vad de kunde användas till. Konst och vetenskap, känsla och förnuft skildes och utvecklades oberoende av varandra.

Att konfrontera dem som skapar förutsättningarna för den nya teknologin med den känsla av ansvar och frihet som råder inom konstens område är därför en viktig uppgift. Man måste avskaffa den deterministiska uppfattningen att teknologin utvecklas oberoende av

learn from artists to take full responsibility for what they do.

EAT now has behind it such shattering manifestations as "9 Evenings: Theatre and Engineering", 1966, the great exhibition "Some More Beginnings: Experiments in Art and Technology", 1968, and the pavilion at the world fair in Osaka, 1970, each of which would be worth a whole book to themselves.

The new project was dubbed the "New York Collection". Apart from the interesting and meaningful task of putting together a major collection to be housed on public premises, the original intention was to cater not only to the recipient of the donation but also in various ways to other interested individuals and groups in the art world, above all the artists, i.e. the originators, and initiators, i.e. EAT.

I had the pleasure, during two stays in New York in my sabbatical year from Moderna Museet, of selecting in cooperation with the artists some thirty works that we hoped to be able to acquire. If the reader has not already asked the question, he will surely do so at this point: where does the money come from? American legislation allows private persons, foundations and corporations to donate money for purposes of public utility, both in and, under certain conditions, outside the United States, and thus make a greater or lesser deduction from taxes. This in accordance with American economical theory that it should be possible to support entirely private intiative with state money. The idea, then, was to persuade private persons, foundations and corporations to support the project by donations.

It can hardly have surprised anyone that I began, as soon as I was involved in the project, to investigate the possibilities of assigning the collection to Moderna Museet in Stockholm. It emerged, in some degree to my own surprise, that people had not completely forgotten how Moderna Museet had been, in the 60's, the first European museum to exhibit the new American art. I am thinking here of exhibitions like

dem som arbetar med den. Eftersom teknologin inte är något annat än ett verktyg är den neutral. De som arbetar med den måste lära från konstnärerna att ta fullt ansvar för vad de gör.

EAT har nu bakom sig sådana omskakande manifestationer som "9 Evenings: Theatre and Engineering", 1966, den stora utställningen "Some More Beginnings: Experiments in Art and Technology", 1968, och paviljongen på världsutställningen i Osaka, 1970, som var och en skulle vara värda att beskrivas i en bok för sig.

Det nya projektet döptes till "New York Collection". Med bortseende från det intressanta och meningsfulla i att sammanställa en betydande konstsamling avsedd att hamna i en offentlig lokal så var den ursprungliga avsikten med projektet att, förutom mottagaren av donationen, andra intresserade individer och grupper i konstlivet på olika sätt skulle tillgodogöras, framför allt konstnärerna, dvs. upphovsmännen, och initiativtagarna dvs. EAT.

Jag hade nöjet att, under ett par sejourer i New York, som inföll under det år då jag var ledig från Moderna Museet, i samverkan med konstnärerna utvälja ett 30-tal verk som vi hoppades kunna förvärva. Om man, då man läser detta, inte redan har ställt sig frågan, måste man göra det här: var kommer pengarna ifrån? Amerikansk lagstiftning tillåter enskilda, stiftelser och företag att överlämna pengar till "allmännyttiga" ändamål, inom och, i vissa fall, utom USA, och att som konsekvens därav göra större eller mindre avdrag på skatterna. Detta i enlighet med det amerikanska systemets teori att helt privata initiativ skall kunna understödjas med statens pengar. Det var sålunda meningen att man skulle förmå enskilda, stiftelser och företag att stödja projektet genom att ge pengar.

Det kan väl knappast ha överraskat någon att jag, så snart jag blev indragen i projektet, började undersöka om det var möjligt att få samlingen till Moderna Museet i Stockholm.

Movement in Art, 1961, 4 Americans, 1962, 106 Forms of Love and Despair (the Pop Exhibition), 1964, 5 New York Evenings, Claes Oldenburg's and Andy Warhol's exhibitions etc. These, in some New York circles, had produced feelings of some benevolence towards the museum.

The object, then, was to prove to those who worked for the project in New York, that if the "New York Collection" ended up in Stockholm, it would be appreciated. The most convincing way of demonstrating this, of course, would be if the recipient, the Swedish Government were to contribute a considerable sum to the fund-raising. Roland Pålsson, who in the 60's did more than any other individual to shape Swedish policy in the arts, naturally understood at once the importance of the cause, and managed to obtain SKr 500,000 (roughly $ 100,000) from the Swedish Ministry of Education. This proved about one fifth of the total value of the collection.

The premisses were now given, and what remained was to try to realise the project. The final selection of works was made in the light of what Moderna Museet already owned by way of New York art of the 60's. Major works by artists not yet represented were selected, and works by those already included were supplemented by pictures of a different kind.

As anyone will realise, it was considerably more difficult to interest American donors in giving money for the collection now that it was to go to Stockholm, Sweden, rather than, say, a museum in the American Mid West. EAT decided to abandon the original aim that part of the funds raised should go to supporting its efforts to establish a livelier, more meaningful collaboration between artists and scientists.

If donors were now more difficult to find, the artists were all the more interested. It was decided to support the project by publishing a small portfolio of graphic art. Thirty sheets, one by each artist. The edition was to be so distributed that each artist received a certain number of copies, the collection the rest. This sub-

Det visade sig, delvis till min egen överraskning att det faktum att Moderna Museet på sextitalet var det första europeiska museum som visade den nya amerikanska konsten, inte var helt bortglömt. Jag talar här om utställningar som Rörelse i Konsten, 1961, 4 amerikanare, 1962, 106 former av kärlek och förtvivlan, (Pop-utställningen), 1964, 5 New York-kvällar och Claes Oldenburgs och Andy Warhols utställningar etc. De hade givit upphov till en viss välvilja riktad mot museet inom somliga kretsar i New York.

Det gällde då att för de inblandade i New York visa, att om "New York Collection" hamnade i Stockholm, skulle den mötas av uppskattning. Det mest övertygande sättet att visa detta vore naturligtvis att mottagaren, dvs. den svenska staten, bidrog till insamlingen av pengar med ett betydande belopp. Roland Pålsson, som mer än någon annan bidrog till att göra kulturpolitiken under sextiotalet i Sverige till vad den var, uppfattade naturligtvis blixtsnabbt sakens betydelse och utverkade 500.000 svenska kronor från utbildningsministeriet. Denna summa kom att utgöra omkring en femtedel av samlingens värde.

Nu var premisserna givna och resten av arbetet bestod i att försöka fullfölja projektet. Det slutliga urvalet av konstverken gjordes med hänsyn till vad Moderna Museet redan ägde av New Yorks sextiotalskonst. Viktiga verk av konstnärer som ej var representerade valdes ut, andra redan representerade konstnärers verk kompletterades med annorlunda bilder.

Som var och en bör kunna förstå var det betydligt svårare att få amerikanska donatorer att intressera sig för att ge pengar till samlingen då den, istället för att gå t. ex. till ett museum i den amerikanska mellanvästern, nu skulle gå till Stockholm, Sweden. EAT beslöt då att helt avstå från vad man från början siktat till, nämligen att en del av de insamlade pengarna skulle gå till att stödja EAT:s försök att etablera ett livligare och mer meningsfullt samarbete mellan konstnärer och vetenskapsmän.

sidiary project succeeded beyond expectation, and by the summer of 1973 we were in a position — to the enormous surprise of most — to realise and complete the project.

It is difficult for me to express how delighted I am that this donation has come about. Moderna Museet was created in the late 50's, and it is extremely natural that the art of the 60's should have become its first "own" speciality. The existing collections of Swedish, European and American art of the 60's are respectable enough, but they lack breadth. It will not, surely, be denied that some of the most important contributions to world art, and to the new view of art that was born in the 60's, were made by artists working in New York.

The already many-facetted collections of Moderna Museet have been enriched and extended in a meaningful way by the "New York Collection". Its earlier works, often of a lesser format, have now been complemented by larger formats to which justice will be done in the new, expanded museum. It is to be hoped that this gift will lead to other, similar or greater acquisitions of, for instance, European art of the 60's being added to the museum's collections.

Paris, September 27, 1973

Om donatorerna blev svårare att få tag i, så var nu istället konstnärerna mer intresserade. Man beslöt att, för att stödja projektet, utge en liten portfölj med grafik. Trettio blad, ett av varje konstnär, upplagan skulle delas så att varje konstnär fick ett visst antal exemplar och insamlingen resten. Detta delprojekt gick över förväntan bra och sommaren 1973 fanns det förutsättningar för att, till de flestas enorma förvåning, genomföra och avsluta projektet.

Det är svårt för mig att säga hur glad jag är över att det gått att få denna donation till stånd. Moderna Museet tillkom under slutet av femtitalet och det är mycket naturligt att sextitalskonsten har blivit dess första, "egna" specialitet. De redan existerande samlingarna av svensk, europeisk och amerikansk sextitalskonst är inte föraktliga men saknar bredd. Det lär bli svårt att förneka att några av de viktigaste tillskotten till världskonsten och den nya konstsyn som föddes under sextitalet kom från konstnärer verksamma i New York.

Den redan mångfacetterade befintliga samlingen i Moderna Museet berikas och utbygges med "New York Collection" på ett meningsfullt sätt. De äldre verken, ofta av mindre format, kompletteras nu av stora format, som kommer att kunna komma till sin rätt i det nya, utbyggda museet. Man måste hoppas att denna gåva kommer att leda till att andra, lika eller mer betydande förvärv t. ex. av europeisk sextitalskonst, tillförs museets samlingar.

Paris den 27 september 1973

Emile de Antonio

Pontus Hultén and Some 60's Memories in New York

In 1959, some film-makers, for the most part about-to-be film-makers, angry and bored were pulled together by Jonas Mekas to form The New American Cinema. Like the painting going on in the United States, it was really a New York experience. We were bored with Hollywood's assembly line production and angry with the closed, brutal corporate distribution/ exhibition system. The New American Cinema once met in my office, an old gray building on West 53rd Street, whose south wall was covered by an ad for "Brute Force", starring Burt Lancaster. I named the building The Brute Force Building and carried it on my letterhead but the Post Office refused to deliver mail. Today the building is a gray-black tomb of soap operas, violence, fixed quiz shows, game shows, the CBS building. At any rate, we met (once we celebrated Christmas, Jonas and Adolfas Mekas and 30 others and I in the tiny office of The New Yorker Theatre with kosher salamis and Polish vodka) and tried to make a New American Cinema out of vying egos and ideas. We shared some of the following: that we might make smaller films, more personal films, use smaller cameras, no stars, political films, anti-films, films that would be more abrasive than mogul chocolate bars. There were many of us - - - I don't remember them all - - - Ed Bland, Sheldon Rochlin, Shirley Clarke, Robert Frank, Lionel Rogosin, Jonas & Adolfas Mekas, Dan Talbot, myself and Alfred Leslie.

Alfred Leslie. In trying to get his and Robert Frank's film "Pull My Daisy" into a theatre (together with Welles' "The Magnificent Ambersons" it opened Dan Talbot's New Yorker Theatre), I spent many hours at Alfred's loft at 940 Broadway (later destroyed by fire) where he was also painting and editing that one-shot roman candle, "The Hasty Papers" (1960). It was a whiff of what was to be: pot, politics, war. One of the manuscripts was by Pontus Hultén. It was: "Three Great Painters: Churchill, Hitler and Eisenhower".

Emile de Antonio

Pontus Hultén och några 60-talsminnen från New York

1959 samlade Jonas Mekas ihop några arga och uttråkade filmmakare, till största delen blivande filmmakare, för att bilda The New American Cinema. Liksom med måleriet i USA på den tiden var det en typisk New York-erfarenhet.

Vi var uttråkade av Hollywoods löpandebandsproduktion och förbannade på det slutna, råa och självtillräckliga distributions- och visningssystemet. The New American Cinema träffades en gång på mitt kontor som låg i en gammal grå byggnad på West 53rd Street, vars södervägg täcktes av en annons för filmen "Rå Styrka" med Burt Lancaster. Jag döpte huset till "Råstyrkehuset" och lät trycka det i mitt brevhuvud men postkontoret vägrade att bära ut posten. Idag är huset en grå-svart grav för tvåloperor, våld, fixade frågesporttävlingar, game shows; CBS-byggnaden. I alla händelser så träffades vi (en gång firade vi jul i The New Yorker Theatres oansenliga kontor, Jonas och Adolfas Mekas och 30 andra och jag, med kosher salami och polsk vodka) och försökte att göra New American Cinema genom att konfrontera våra egon och idéer. Vi delade några av följande: att vi borde göra mindre omfattande filmer, mer personliga filmer, använda mindre kameror, inga filmstjärnor, göra politiska filmer, anti-filmer, filmer som skulle vara mer avskalande än inlindande. Där fanns många av oss - - - jag kommer inte ihåg alla - - - Ed Bland, Sheldon Rochlin, Shirley Clarke, Robert Frank, Lionel Rogosin, Jonas & Adolfas Mekas, Dan Talbot, jag själv och Alfred Leslie.

Alfred Leslie. Under försöken att få upp hans och Robert Franks film "Pull My Daisy" på någon biorepertoar (tillsammans med Welles "The Magnificent Ambersons" invigde den Dan Talbots "New Yorker Theatre"), tillbringade jag många timmar i Alfreds loft på 940 Broadway (senare förstört i en eldsvåda) där han också målade och redigerade sitt engångsfyrverkeri, "The Hasty Papers" (1960). Den var en fläkt av vad som skulle komma: pot,

Pontus Hultén? A bridge? An art critic? Jesus. I read it. It didn't read like art criticism. It was lively, new, political. At that time politics here in the US was kept on the low-burner, except the as-usual kind. Eisenhower's presidency was drawing to an end. What was good for General Motors was good for the country, etc.

By 1962 the old New York painting, abstract expressionism, had become classic, and there were few outside of New York who were ready for the new New York painting. In 1962 Pontus Hultén assembled the show "Four Americans: Johns, Leslie, Rauschenberg, Stankiewicz". Camelot was cake-icing, castles in two dimensions, like Hollywood; its statesmen one-dimensional (Marcuse). The Merlins were trickless, word-mongers without magic, professors with an appetite for distant combats and confrontations: Vienna, Cuba, Viet-Nam, Green Berets, vicarious. I think, you do.

I had met Bob Rauschenberg and Jasper Johns when they were living downtown in lofts on Pearl Street (narrow, warm and gone, now widened to vacuity, to make room for a greater nowhere) in the mid-50's. Our very first meeting was actually in the country; they were hammering and sawing and sewing sets and costumes for a John Cage - Merce Cunningham concert I was producing. In their lofts were cards, drinks, wild ducks cooked with wild rice, Jack Daniels and Bob's black paintings, the red paintings, Rebus, Odalisk, Factum I and Factum II, then a huge painting with an umbrella in it, and The Bed and Third Time Painting. Of Jasper John's work: the great flags and targets, all the early ones before any had been sold. It was a private world trying to become public, before dealers, collectors and a public materialized. One week-end we went to the ocean and played hearts and drank Jack Daniels for three days. Jap's marmoset escaped and climbed into a fragile, tall willow tree. It was very hard work coaxing it down. Pontus Hultén's show, "Four Americans" was, I guess,

politik, krig. Ett av manuskripten var av Pontus Hultén. Det var: "Tre stora målare: Churchill, Hitler och Eisenhower".

Pontus Hultén? Namnet på en bro? En konstkritiker? Jösses! Jag läste det. Det såg inte ut som konstkritik. Det var levande, nytt, politiskt. Vid den tiden hölls politiken här i USA på sparlåga, utom den gamla vanliga sorten. Eisenhowers presidenttid led mot sitt slut. Det som var bra för General Motors var bra för landet, etc.

1962 hade det gamla New York-måleriet, den abstrakta expressionismen, blivit klassiskt och det fanns få utanför New York som var mogna för det nya New York-måleriet. 1962 satte Pontus Hultén ihop utställningen "Fyra amerikanare": Johns, Leslie, Rauschenberg, Stankiewicz. Camelot var florsocker, dess slott tvådimensionella, som Hollywood, dess statsmän endimensionella (Marcuse). Dess trollkarlar körde med nötta trick, ordvrängare utan magik, professorer med smak för uppgörelser på avstånd: Wien, Cuba, Vietnam, Gröna Baskrar, ställföreträdande. I think, you do.

Jag hade träffat Bob Rauschenberg och Jasper Johns när dom bodde nere på stan i loft (trånga, varma och försvunna, numera vidgade till tomhet, för att göra plats för ett ännu större ingenstans) på Pearl Street i mitten av 50-talet. Vårt allra första möte var faktiskt ute på landet; dom hamrade och sågade och sydde kulisser och kostymer till en John Cage - Merce Cunningham-konsert som jag producerade. På deras loft fanns spelkort, drinkar, vildänder tilllagade med råris, Jack Daniels och Bobs svarta målningar, de röda målningarna, Rebus, Odalisk, Faktum I och Faktum II, sedan en enorm målning med ett paraply, och Sängen och Tredje-gången-målningen. Av Jasper Johns arbeten: de stora flaggorna och måltavlorna, alla de tidiga målningarna innan någon av dem hade sålts. Det var en privat värld som försökte bli allmän innan konsthandlare, samlare och publik hade dykt upp. En week-end åkte vi till

the first big show in Europe which, although not pop, led to pop and the Moderna Museet's 1964 "Pop Show" which showed Oldenburg, Segal, Warhol . . .

In the 50's I had lived with Tina Fredericks who had been an editor for Condé Nast (Vogue, Glamour) and had given Andy Warhol his first commercial art work making drawings of shoes for fashion pages and later for ads. When we met he told me he wanted to become famous and a painter. I was beginning work on "Point of Order" and was sometimes cloven between the new painting/music and the radical politics I once had as a student at Harvard and which I lost in the military during World War II. I was again aligned with radical politics and felt the cleavage was real only to those undertakers of radical politics who wanted a dead art entombed with 19th Century ideas of radicalism. Lukacs said that the last important marxist theoretical work was Lenin's "Imperialism" of 1917. When Andy began painting I walked over evenings after dinner to his house on 89 th Street, next to The National Fertility Institute, drank whisky in white cups and looked at his paintings. I liked it. Once he showed me two large Coke Bottle paintings. One was a coke bottle, plain and only a coke bottle the other was a coke bottle surrounded by abstract expressionist brush strokes. One worked; the other didn't. I dont't know where the second one is now. When Andy began painting he wasn't a pop star but a quiet commercial artist with great ambition and a reservoir of plans and people.

An other direction which New York painting took in the late 50's and early 60's was Frank Stella who with his early black paintings found a new imprint of abstract austerity and, immediately after, in the aluminum-series began changing the shape of the canvas itself. Stephen Greene in the late 50's had been artist-in-residence at Princeton. Teaching painting or writing or filmmaking fleshes out college cata-

havet och spelade "hearts" och drack Jack Daniels i tre dagar. Japs silkesapa rymde och klättrade upp i ett högt och spätt pilträd. Det var ett väldigt jobb att lirka ner den igen. Pontus Hulténs utställning, "Fyra Amerikanare", var, tror jag, den första stora utställning i Europa som, även om det inte var pop, ledde fram till pop och till Moderna Museets "pop-utställning" 1964 som visade Oldenburg, Segal, Warhol . . .

På 50-talet hade jag levt tillsammans med Tina Fredericks som hade varit en av redaktörerna för Condé Nast (Vogue, Glamour) och som hade skaffat Andy Warhol hans första komersiella jobb som bestod i att han fick göra teckningar av skor för modesidor och senare för annonser. När vi träffades berättade han för mig att han ville bli berömd och målare. Jag började arbeta på "Point of Order" och kände mig ibland kluven mellan det nya måleriet/musiken och de radikala politiska åsikter jag en gång hade som student vid Harvard och som jag förlorat i militärtjänsten under andra världskriget. Jag inriktade mig nu åter på radikal politik och kände att klyftan existerar endast för de dödgrävare av radikal politik som ville ha en död konst begravd i 1800-talets idéer om radikalism. Lukacs hade sagt att det sista viktiga marxistiska teoretiska verk som skrevs var Lenins "Imperialismen" 1917.

När Andy började måla gick jag på kvällarna efter middagen över till hans hus på 89:e gatan, bredvid National Fertility Institute, drack whisky i vita koppar och tittade på hans målningar. Jag gillade det. En gång visade han mig två stora målningar av Coca-Cola-flaskor. Den ena föreställde en Coca-Cola-flaska, en Coca-Cola-flaska rakt upp och ner; den andra var en Coca-Cola-flaska omgiven av abstrakt expressionistiska penseldrag. Den ena fungerade; den andra gjorde det inte. Jag vet inte var den andra finns nu. När Andy började måla var han inte en popkonst-stjärna utan en tillbakadragen kommersiell konstnär med stor ambition och en reservoar av idéer och människor.

logs and hundreds of US colleges are extremely busy teaching thousands of students to become writers, film directors, painters and actors. This is probably a very good thing because although it may not produce many artists, it does produce an audience. Stephen Greene was singularly excited about one student. We went to see his work in the McCarten Theatre. It was Frank Stella. The next time I saw an exhibition of his work was only two years later in the Museum of Modern Art.

Carl André said at that time of Frank's work, "Symbols are counters passed among people. Frank Stella's painting is not symbolic. His stripes are the paths of the brush on canvas. These paths lead only into the painting." In 1973 we know that the so-called stripes were not really stripes. Frank's work is the best answer to that hypothetical question by the philistine, "Okay, so you painted these stripe pictures. What are ya gonna do for an encore?" There are no encores in high art, just development and pictures of quality. That's as far as it can go.

As for the dilemma between art and politics, I still believe in an art of quality and radical politics. They are not incompatible.

New York in September 1973

En annan vändning som New York-måleriet tog åren omkring 1960 var Frank Stella som med sina tidiga svarta målningar fann ett nytt uttryck av abstrakt stränghet och omedelbart därefter, i aluminiumserien, började ändra t. o. m. dukens form. Stephen Greene hade i slutet av 50-talet varit lärare i måleri vid Princeton. Att lära ut målning, eller författande eller filmskapande ser bra ut i collegebroschyrer och hundratals amerikanska colleges har fullt upp med att lära tusentals studenter till författare, filmregissörer, målare och skådespelare. Detta är antagligen mycket bra, för även om det kanske inte producerar så många konstnärer, så skapar det en publik. Stephen Greene var entusiastisk för en enda student. Vi åkte och tittade på hans arbeten i McCarten-teatern. Det var Frank Stella. Nästa gång jag såg en utställning av hans verk var bara två år senare i The Museum of Modern Art. Carl André sade vid den tiden om Franks verk: "Symboler är spelmarker som cirkulerar bland folk. Frank Stellas måleri är inte symboliskt. Hans ränder är spåren efter penseln på duken. Dessa spår leder endast in i målningen." 1973 vet vi att de så kallade ränderna faktiskt inte var ränder. Franks arbete är det bästa svaret på den hypotetiska frågan från borgarbrackan: "Jaha, du har alltså målat dom här bilderna med ränder. Vad ska du fortsätta med sen då?" Det finns inga extranummer i bra konst, bara utveckling och kvalitetsbilder. Det är så långt som det kan komma.

Vad beträffar dilemmat mellan konst och politik tror jag fortfarande på konst av kvalitet och radikal politik.

De är inte oförenliga.

New York, september 1973

New York Collection for Stockholm is part of a series of on-going projects of Experiments in Art and Technology, a non-profit, taxexempt, public charity, founded in 1966 and registered in New York State.

The selection of the Works were made by K. G. P. Hultén in collaboration with the artists during the winter of 1971 and 1972, at which time all of the artists' galleries agreed to waive their commission. The estimated value of the Collection is $ 700.000 and represents a gift from the American art community to Moderna Museet.

The project has taken two and a half years to complete and has involved the cooperation and collaboration of many people. On the Swedish side, Consul-General Gunnar Lonaeus, Ambassador Tore Tallroth, Roland Pålsson, Director General of the Central Office and of the Museum of National Antiquities, and Gerard Bonnier, Chairman of the Friends of Moderna Museet, have provided invaluable assistance to the project. Björn Springfeldt and Milla Trägårdh have worked with Pontus Hultén to realize the exhibition.

In the United States, Jeanette Bonnier, Sue Erpf Van de Bovenkamp, Marion Javits, Ethel Scull, Theodore W. Kheel, Emile de Antonio, Forrest Murden and Charles Muller. The Arkville- Erpf Fund and the Mary Sisler Foundation we wish to thank for their founding contribution. We greatly appreciate the cooperation of the many galleries and their staff, and in particular, Leo Castelli. In connection with the Exhibition of the Collection at 420 West Broadway on October 27, 1972, we would like to thank the artists and Joseph Hyde.

Also we would like to thank John Weber Gallery, the Sonnabend Gallery and Leo Castelli Gallery. The staff of E. A. T., Harriet DeLong, Kathleen McGee, Martha Pincus, Antonie Roos, Suzanne Dimmler, Terry Martin, David Hayes. Special thanks to Julie Martin and Barbara Birkenmeier and Fujiko Nakaya in Tokyo.

Thanks to Berkely Baker, Teledyne Inc. for his interest and support in Robert Rauschenberg's Mud Muse.

Thanks to Robert Whitman for making the cover of the catalog, Red Grooms for the flight card, Robert Rauschenberg for the exhibition poster and John Chamberlain for making the Stockholm Couch.

Stockholm in October 1973

    K. G. P. Hultén   Billy Klüver

New York Collection for Stockholm ingår i en serie projekt som drivs av Experiments in Art and Technology, en icke vinstdrivande, skattebefriad, allmännyttig stiftelse grundad 1966 och registrerad i New York.

Konstverken har valts av K. G. P. Hultén i samarbete med konstnärerna vintern 1971/72, vid vilken tidpunkt också samtliga konstnärers gallerier samtyckte till att avstå från sina provisioner. Samlingens ekonomiska värde uppskattas till 700.000 $ och är en gåva från Amerikas konstvärld till Moderna Museet.

Projektet, som tagit två och ett halvt år att fullfölja, har innefattat mångas stöd och samarbete. Från svensk sida har generalkonsul Gunnar Lonaeus, ambassadör Tore Tallroth, riksantikvarie Roland Pålsson och Gerard Bonnier, ordförande i Moderna Museets Vänner, skänkt projektet ovärderligt bistånd. Björn Springfeldt och Milla Trägårdh har arbetat tillsammans med Pontus Hultén för att förverkliga utställningen.

I Förenta Staterna vill vi tacka Jeanette Bonnier, Sue Erpf Van de Bovenkamp, Marion Javits, Ethel Scull, Theodore W. Kheel, Emile de Antonio, Forrest Murden och Charles Muller. Arkville-Erpf-fonden och Mary Sisler Stiftelsen önskar vi tacka för deras grundläggande bidrag. Vi sätter stort värde på samarbetet med de många gallerierna och deras medarbetare och då särskilt Leo Castelli. I samband med utställningen av New York Collection på 420 West Broadway den 27 oktober 1972 vill vi tacka konstnärerna samt Joseph Hyde. Ett tack också till John Weber Gallery, Sonnabend Gallery och Leo Castelli Gallery. Till EAT:s stab: Harriet De Long, Kathleen McGee, Martha Pincus, Antonie Roos, Suzanne Dimmler, Terry Martin, David Hayes. Ett särskilt tack till Julie Martin, Barbara Birkenmeier och till Fujiko Nakaya i Tokyo.

Tack till Berkely Baker, Teledyne Inc. för hans intresse och stöd i arbetet med Robert Rauschenbergs Lermusa.

Till sist ett tack till Robert Whitman för omslaget till utställningens katalog och till Robert Rauschenberg för dess affisch, Red Grooms för flygkortet och till John Chamberlain för att han ville göra Stockholmssoffan.

Stockholm i oktober

    K. G. P. Hultén   Billy Klüver

New York Collection for Stockholm could never have been realised, were it not for the great admiration of the American art world for Pontus' work, and for his professional management of Moderna Museet. New York Collection for Stockholm is an act of homage to him.

Billy Klüver, October 3, 1973

In support of the collection the artists have donated a print to the New York Collection portfolio. The prints were made by Styria Studio, New York, in an edition of 300, signed and numbered by the artist.

New York Collection for Stockholm kunde aldrig ha tillkommit utan den stora beundran inom den amerikanska konstvärlden för Pontus verk och för hans yrkesmässiga ledarskap av Moderna Museet. New York Collection for Stockholm är en hyllning till honom.

Billy Klüver den 3 oktober 1973

Som ett stöd till samlingen har varje konstnär skänkt ett grafiskt blad till New York Collection-portföljen. Bladen trycktes av Styria Studio, New York, i en upplaga av 300 ex, signerad och numrerad av konstnären.

Lee Bontecou

born 1931 in Providence, Rhode Island, lives in New York
f. 1931 i Providence, Rhode Island, bosatt i New York

Untitled 1959
canvas on welded steel
$58^{1}/_{4}'' \times 99'' \times 29''$

Utan titel 1959
duk på stomme av svetsat stål
$148 \times 251 \times 74$ cm

I'm afraid I am rather vague about expressing philosophies of art and especially about my own work. I can only say that I do not know if what I am doing is art nor do I have any real concern. I just want to do what I believe and what I want to do, and what I must do to get what I want - something that is natural and something that exists in us all.

My concern is to build things that express our relation to this country - to other countries - to this world - to other worlds - in terms of myself.

To glimpse some of the fear, hope, ugliness, beauty and mystery that exists in us all and which hangs over all the young people today.

The individual is welcome to see and feel in them what he wishes in terms of himself.

1960

Jag är rädd att jag är mycket vag när det gäller konstfilosofier och särskilt när det gäller idéerna bakom mitt eget arbete. Det enda jag kan säga är att jag inte vet om det är konst jag gör, och det bekymrar mig egentligen inte heller. Jag vill helt enkelt göra vad jag tror på och vad jag tycker om - och det jag måste göra för att uppnå vad jag vill: någonting som är naturligt och som finns inom oss alla.

För mig gäller det att bygga saker som uttrycker vår relation till det här landet - till andra länder - till denna värld - till andra världar - på mitt eget sätt.

Att skymta något av den rädsla, det hopp, den fulhet, den skönhet och det mysterium som finns inom oss alla och som svävar över alla unga människor idag.

Var och en är välkommen att se och känna det han önskar på sitt eget sätt.

1960

Robert Breer

born 1926 in Detroit, Michigan, lives in New York
f. 1926 i Detroit, Michigan, bosatt i New York

Rider Float 1972
fiber glass, welded aluminum
7′×6″×2′

Ryttarflotte 1972
glasfiber, svetsad aluminium
213×15×61 cm

Imagine a space from here to there. From your hand to the window. Now move your hand slowly. Look through the window and don't move your hand. From your thumb to your forefinger there is space.

1960

Each "float" reverses its direction when it encounters resistance and in this way keeps moving regardless of space restrictions. By their consistent and slow movement, I hoped to put emphasis on change of position rather than motion itself.

1966

Föreställ dig en rymd härifrån och dit. Från din hand till fönstret. Rör nu långsamt handen. Se ut genom fönstret utan att röra handen. Från tummen till pekfingret är det rymd.

1960

Varje "flotte" ändrar riktning när den stöter på motstånd och håller sig på så sätt i rörelse oberoende av rumsliga begränsningar. Genom deras konsekventa och långsamma rörelse hoppades jag kunna ge eftertryck åt lägesförändring snarare än åt själva rörelsen.

1966

John Chamberlain

born 1927 in Rochester, Indiana, lives in New York
f. 1927 i Rochester, Indiana, bosatt i New York

M.A.A.B. 1969
welded and painted steel
50″ × 78″ × 50″

M.A.A.B. 1969
svetsat och målat stål
127 × 198 × 127 cm

My sculptures are no symbols, they're self-portraits. The portraiture had more to do with the balances and rhythms and spaces and areas and attitudes than it had to do with what one looked like. If you look at the sculptures, you can se that most all the sculptures I do, of one kind or another, have certain kinds of balance or rhythm that are characteristic of myself. That's the way I feel about it. You know, it was just free material. I think that it was such an obvious material to use. Someone finally had to use it and use it in such a way that it showed something of their nature. Others think it's about the material. I feel that the force of the anger that perhaps was involved at that time in my life had something to do with it.

1972

Skulpturerna är inga symboler, de är självporträtt. Porträtterandet hade mer att göra med balans, rytm, rum och yta, hållning, än med hur jag såg ut. Tittar du på skulpturerna ser du att dom allra flesta, hur de än gjorts, har ett slags balans eller rytm som du kan känna igen hos mig själv. Så upplever jag det. Materialet fanns ju överallt. För mig var det självklart att använda det. Några måste ju till slut göra det och då på ett sätt som måste säga något om dem själva. Andra tror att det handlar om materialet. Själv upplever jag att den våldsamhet som kanske fanns i mitt liv på den tiden har något att göra med det.

1972

4

Walter de Maria
born 1935 in Albany, California, lives in New York
f. 1935 i Albany, Kalifornien, bosatt i New York

Hard Core 1969
filmed in the Black Rock Desert, Nevada
16 mm sound and color
28 mins., edition of 100

Hård kärna 1969
filmad i Black Rock, Nevadaöknen
16 mm färg och ljud
28 min., upplaga 100 ex.

Hard Core is a Minimal-Land-Mystery-Histori-cal-Western. God help us all.
1973

Hård kärna är en Minimal-Land-Mystery-Histo-rical-Western. Gud hjälpe oss.
1973

Jim Dine

born 1935 in Cincinatti, Ohio, lives in Putney, Vermont
f. 1935 i Cincinatti, Ohio, bosatt i Putney, Vermont

Peaches 1969
acrylic on canvas
mixed media
6¹/₂′ × 16¹/₂′

Persikor 1969
akryl på duk
blandteknik
198 × 503 cm

It's obvious I'm interested in objects; but I am interested in them like I am interested in a big piece of paint as an object too. It's the natural thing to do because any other thing, I mean like gently dusting or touching the canvas with a brush to delineate a washstand is so crazy now. It's just a lot of crap because nothing can be more real than the real thing . . . So what it ends up is - - - my studio looks like my paintings. And then you can't get away from it so much. This is why I keep them on canvases. It's the last vestige of unrealism, you know, of unreality, the canvas. It's so unrealistic to put that washstand on that canvas I have to do it, otherwise there is no more art.
You c o u l d destroy it.

1963

Det är klart att jag är intresserad av föremål, men jag är intresserad av dem på samma sätt som jag är intresserad av en stor färgfläck. Den är också ett föremål. Det är rätt självklart eftersom allt annat verkar så löjligt - jag menar stå och pensla upp ett tvättställ på duken som om man hade en dammvippa i handen. Det är bara dumt eftersom ingenting kan vara verkligare än ett verkligt föremål. Så det slutar med att min ateljé har kommit att se ut som mina målningar. Och på det viset är det inte så lätt att gå ifrån. Det är därför jag fäster föremålen på duken. För, du vet, duken är den sista resten av o-realism, av overklighet. Det är så orealistiskt att sätta dit ett tvättställ på duken så jag måste göra det - annars vore konsten slut.
Den k a n förstöras.

1963

Mark di Suvero

born 1933 in Shanghai, lives in Venice, Italy, and Chalon sur Saone, France
f. 1933 i Shanghai, bosatt i Venedig, Italien, och Chalon sur Saone, Frankrike

Blue Arch for Matisse 1962
painted steel
11′ × 10′

Blå båge för Matisse 1962
målat stål
335 × 305 cm

Di Suvero has often been quoted as saying that he wants his sculpture to be able to ''defend it-self against an unarmed man''.

1972

Man har ofta hört sägas att di Suvero vill att hans skulptur ska kunna ''försvara sig mot en obeväpnad man''.

1972

Öyvind Fahlström

born 1928 in Sao Paulo, Brazil, lives in Stockholm and New York
f. 1928 i Sao Paulo, Brasilien, bosatt i Stockholm och New York

World Bank 1971
wood, velvet, plexiglass, vinyl, acrylics, gold leaf
20″ × 82″ × 18″

Världsbanken 1971
trä, sammet, plexiglas, vinyl, akryl, bladguld
51 × 208 × 46 cm

World Bank was made after the Monopoly paintings 1970-71 and is the first work I have based entirely on historical and economical data. Like many others, I became aware of the World Bank during the big demonstrations in Copenhagen when the World Bank members, among them Robert McNamara, held their annual meeting there 1970. (In the picture with the safe, McNamara is portrayed as an ape sitting on the shoulders of the obese West.) At another level, I wanted to make a theatrical tableau, where the gold gleams in a dark room and where the political pressure applied by the World Bank to the Third World is illustrated by small silhouette figures and set-pieces on a stage of purple velvet.

1973

Världsbanken gjordes efter serien av Monopol-spels-målningar 1970-71 och är det första arbete som jag helt byggt på historiska och ekonomiska data. Liksom många andra blev jag uppmärksam på Världsbanken i samband med de stora demonstrationerna i Köpenhamn, när Världsbankens ledamöter, inklusive chefen Robert McNamara, hade årsmöte i staden hösten 1970. (Ett porträtt av McNamara som apa på överfeta Västerlandets axlar finns i bilden med kassaskåpet.) På ett annat plan ville jag göra en teatralisk tablå, där guldet glöder i ett dunkelt rum och där uppgifterna om banken som politiskt påtryckningsmedel i Tredje Världen illustreras av små silhuettfigurer och kulisser på en scen av purpurfärgad sammet.

1973

Dan Flavin

born 1933 in New York City, lives in New York
f. 1933 i New York City, bosatt i New York

Monument 7 for V. Tatlin 1964
cool white fluorescent light
10′ high

Monument 7 för V. Tatlin 1964
kallt vitt fluorescerande ljus
höjd 305 cm

What has art been for me? In the past, I have known it (basically) as a sequence of implicit decisions to combine traditions of painting and sculpture in architecture with acts of electric light defining space and, recently, as more progressive structural proposals about these vibrant instruments which have severalized past recognitions and swelled them effluently into almost effortless yet insistent mental patterns which I may not neglect. I want to reckon with more lamps on occasion - - at least for the time being.

1965

Vad har konst varit för mig? Förut har jag (primärt) sett den som en räcka underförstådda avgöranden när det gällt att kombinera måleri- och skulpturtraditioner i arkitekturen med elektriskt ljus uppfattat som ett slags handling som bestämmer rummet. På sista tiden har jag sett den som mer långtgående strukturella förslag rörande de vibrerande verktygen, förslag som kristalliserat ut till oigenkännlighet och ökat deras flödande till nästan viljelösa men ändå påträngande mentala mönster som jag inte får bortse från. Jag kan tänka mig att använda fler lampor om det behövs - - åtminstone just nu.

1965

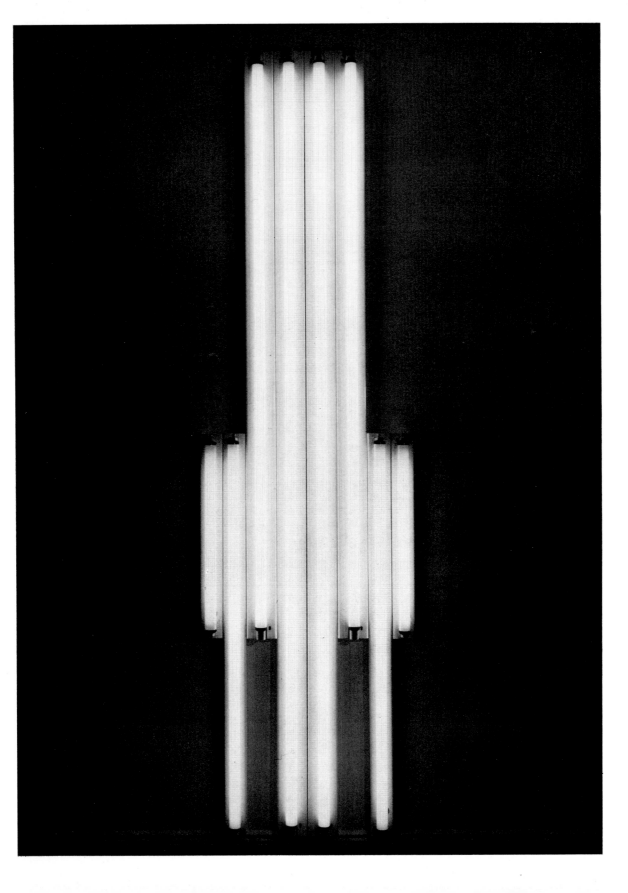

Red Grooms

born 1937 in Nashville, Tennessee, lives in New York City
f. 1937 i Nashville, Tennessee, bosatt i New York City

The Patriots' Parade 1967
construction, painted wood
11′ × 8′ 4″ × 40″

Patrioternas parad 1967
konstruktion av målat trä
335 × 254 × 102 cm

Smokey Stover Visits The Holocaust
Along the banded
Horizon blazes
And stretches the flames
We stand back
Earth curves
And sky does not burn
Remains cool attentive
Inferno roars with power
The air stinks of melting rubber
Weltering shadows bubble
Steel twists bows
No applause for this
Rich stench
All the towers shatter
Groaning fall
Asunder leaving only
A lot of land fill

Spring 1973

Tjalle Tvärvigg besöker katastrofplatsen
Längs den strimmiga
Horisonten flammar
Lågorna och växer
Vi ryggar tillbaka
Jorden kröker sig
Och himlen brinner inte
Förblir kylig och avvaktande
Helvetet vrålar av kraft
Luften stinker smältande gummi
Vältrande skuggor bubblar
Stål förvrids böjer sig
Inga applåder för denna
Feta stank
Alla torn splittras
Faller stönande
Sönder och kvar blir bara
En sophög att fylla marken med

Våren 1973

Hans Haacke

born 1936 in Cologne, Germany, lives in New York
f. 1936 i Köln, Tyskland, bosatt i New York

High Voltage Discharge Travelling 1968
glass tube, electrodes, 15 kV transformer,
cables, and fan
glass tube 18′ long, Ø4″
transformer 10″ × 5″ × 5″

Vandrande högspänningsurladdning 1968
glasrör, elektroder, 15 kV transformator,
kabel och fläkt
glasrörets längd 549 cm, Ø10 cm
transformator 25 × 13 × 13 cm

This is not meant to be an illustration or model for contemporary scientific theories, be they relevant or not. You don't have to be a scientist to be aware of the fact that there is nothing stable, that the status quo can only be the wishful thinking of bad politicians. Everything, but really everything is on the move. There is nothing outside of time.

1967

Det här är inte avsett som en illustration till, eller modell av, samtida vetenskapliga teorier, de må vara relevanta eller inte. Man behöver inte vara vetenskapsman för att vara medveten om det faktum att det inte finns någonting stabilt, att status quo bara är ett önsketänkande av dåliga politiker. Allt, faktiskt allt, är i rörelse. Det finns ingenting utanför tiden.

1967

Alex Hay

born 1930 in Vahico, Florida, lives in New York
f. 1930 i Vahico, Florida, bosatt i New York

Graph Paper 1967
spray lacquer and stencil
$87^{5}/_{8}'' \times 68''$

Diagrampapper 1967
lackspray och schablon
222×173 cm

I have changed and the painting has changed, otherwise we would still be in the same place.
1973

Jag har förändrats och målningen har förändrats, i annat fall skulle vi ju fortfarande befinna oss på samma ställe.
1973

Don Judd

born 1928 in Excelsior Springs, Missouri, lives in New York
f. 1928 i Excelsior Springs, Missouri, bosatt i New York

Untitled 1970
anodized aluminum
$8^{1}/_{4}'' \times 253'' \times 8^{1}/_{4}''$

Utan titel 1970
elektrolytbehandlad aluminium
$21 \times 643 \times 21$ cm

The thing about my work is that it is given. Just as you take a stack or row of boxes, it's a row. Everybody knows about rows, so it's given in advance. Now, it's also given it it's a fairly simple progression, because everybody knows right off the spaces are given by the mathematics. In one of the progressions I used the Fibonacci series. In another I used the kind of inverse natural number series: one, minus a half, plus a third, a fourth, a fifth, etc. No one other than a mathematician is going to know what that series really is. You don't walk up to it and understand how it is working, but I think you do understand that there is a scheme there, and that it doesn't look as if it is just done part by part visually. So it's not conceived part by part, it's done in one shot. The progressions made it possible to use an asymmetrical arrangement, yet to have some sort of order not involved in composition. The point is that the series doesn't mean anything to me as mathematics, nor does it have anything to do with the nature of the world.

1971

I mitt fall är det jag gör givet på förhand. Precis som det blir en stapel när man staplar lådor, eller en rad när man radar upp dem. Alla känner till rader, så det är givet på förhand. Det är givet också när det rör sig om en tämligen enkel serie där storlekarna växer eller avtar, för alla vet då genast att skillnaderna i mått bestäms av matematiken. I ett arbete använde jag mig av Fibonacci-serien. I ett annat använde jag en serie som byggde på inverterade naturliga tal: ett, minus en halv, plus en tredjedel, en fjärdedel, en femtedel etc. Det är bara matematiker som vet vad den serien verkligen innebär. Man förstår inte genast hur den fungerar, men jag tror att man förstår att det ligger något schema bakom, och att jag inte arbetat med att lägga del till del på känn. Så det är inte uttänkt bit för bit, utan alltihop på en gång. Serierna gjorde det möjligt för mig att använda asymmetriska arrangemang och ändå behålla en ordning som inte hade någonting med komposition att göra. Det viktiga är att serien inte betyder någonting för mig som matematik, och den har heller ingenting att göra med världens natur.

1971

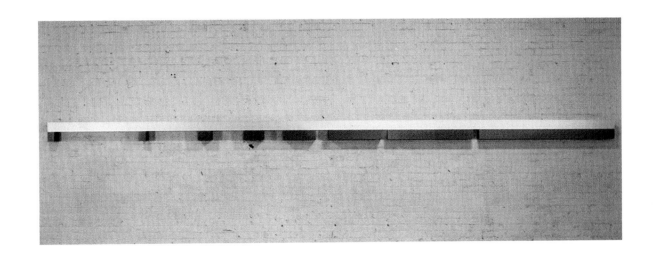

Ellsworth Kelly

born 1923 in Newburgh, New York, lives in New York
f. 1923 i Newburgh, New York, bosatt i New York

White Over Black 1966
two panels, oil on canvas
86″ × 80″

Vitt över svart 1966
två dukar, olja på duk
218 × 203 cm

To me the square is sufficient because of its exact equality. The rectangle and the curved form are dictated by sensibility. The square is in the present tense, unchanging.
I am less interested in the drawn square (four straight lines at right angles) than in the square itself as a panel with four edges of a certain thickness. My work is made of single or multiple panels, rectangular, curved (as in the sculpture) or square. I am less interested in marks on the panels than in the presence of the panels themselves.

1967

Kvadraten är för mig tillräcklig därför att alla dess sidor är lika. Rektangeln och den krökta formen dikteras av sensibiliteten. Kvadraten finns i nuet, oföränderlig.
Jag är mindre intresserad av den tecknade kvadraten (fyra raka linjer som möter varandra i räta vinklar) än av kvadraten själv som ett fält med fyra kanter av viss tjocklek. I mitt verk uppträder ett eller flera fält, rektangulära, krökta (som i mina skulpturer) eller kvadratiska. Jag är mindre intresserad av markeringar i fälten än av fältens egen närvaro.

1967

Sol LeWitt

born 1928 in Hartford, Connecticut, lives in New York
f. 1928 i Hartford, Connecticut, bosatt i New York

3C. Half Off Piece 1969
baked enamel on steel
5′6″ × 15″ × 7′6″

3C. Halv delad skulptur 1969
emalj på stål
167 × 38 × 228 cm

The best that can be said for either the square or the cube is that they are relatively uninteresting in themselves. Being basic representations of two- and three-dimensional form, they lack the expressive force of other more interesting forms and shapes. They are standard and universally recognized, no initiation being required of the viewer; it is immediately evident that a square is a square and a cube, a cube. Released from the necessity of being significant in themselves, they can be better used as grammatical devices from which the work may proceed. The use of a square or a cube obviates the necessity of inventing other forms and reserves their use for invention.

1967

Det bästa som kan sägas om både kvadraten och kuben är att de är relativt ointressanta i sig själva. Eftersom de är primära framställningar av två- respektive tredimensionell form, saknar de den uttryckskraft som andra intressantare former besitter. De är universellt igenkännliga standardformer, åskådaren behöver inte vara invigd; det är omedelbart självklart att en kvadrat är en kvadrat och en kub en kub. Frigjorda från nödvändigheten att i sig själva vara betydelsebärande kan de bättre användas som grammatikaliska hjälpmedel från vilka arbetet kan utgå. Användandet av en kvadrat eller en kub upphäver nödvändigheten av att uppfinna andra former och ger dem en särställning vad gäller uppfinning.

1967

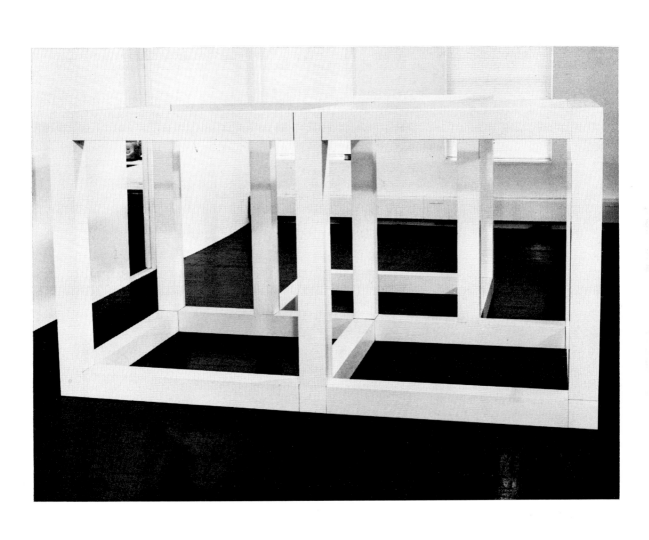

Roy Lichtenstein

born 1923 in New York, lives in New York
f. 1923 i New York, bosatt i New York

Entablature No. 3 1971
oil and magna on canvas
2′2″ × 18′

Gesims nr 3 1971
olja och magna på duk
66 × 549 cm

Everybody has called Pop art "American" painting, but it's actually industrial painting. America was hit by industrialism and capitalism harder and sooner, and its values seem more askew. I think the meaning of my work is that it's industrial, it's what all the world will soon become. Europe will be the same way, so it won't be American; it will be universal.

1963

I want my images to be as critical, as threatening, and as insistent as possible. As visual objects, as paintings - not as critical commentaries about the world.

1963

Alla har kallat Popkonsten en amerikansk konst, men det är faktiskt en industriell konst. Amerika drabbades hårdare och tidigare av industrialism och kapitalism än andra länder, dess värdesystem tycks skevare. Jag tror att innebörden av min konst är att den är industriell, den är vad hela världen snart kommer att bli. Europa kommer att bli likadant, så den kommer inte att bli amerikansk, den kommer att bli universell.

1963

Jag vill att mina bilder ska vara så kritiska, så hotande, och så ofrånkomliga som möjligt. Som visuella objekt, som målningar - inte som kritiska kommentarer till världen.

1963

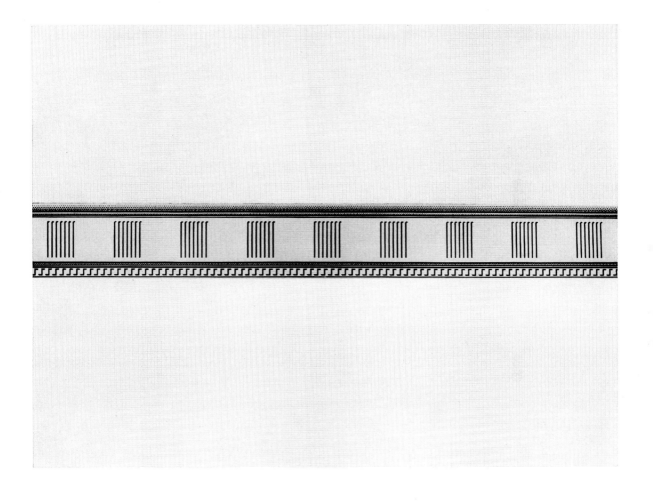

Robert Morris

born 1931 in Kansas City, Missouri, lives in New York
f. 1931 i Kansas City, Missouri, bosatt i New York

Untitled 1970
aluminum
54″ × 180″ × 180″

Utan titel 1970
aluminium
137 × 457 × 457 cm

Simplicity of shape does not necessarily equate with simplicity of experience. Unitary forms do not reduce relationships. They order them. If the predominant, hieratic nature of the unitary form functions as a constant, all those particularizing relations of scale, proportion, etc. are not thereby canceled. Rather they are bound more cohesively and indivisibly together. The magnification of this single most important sculptural value makes on the one hand, the multipart, inflected formats of past sculpture extraneous, and on the other, establishes a new limit and a new freedom for sculpture.

1966

En forms enkelhet behöver inte nödvändigtvis motsvaras av en upplevelsens enkelhet. Enhetliga former nedbringar inte antalet relationer. De föreskriver dem. Om en enhetlig forms förhärskande, hieratiska natur fungerar som en konstant innebär detta inte att alla de särskiljande relationerna, skala, proportioner etc. för den skull upphävs. Snarare binds de samman ännu fastare och mer odelbart. Insikten om detta enda, mycket viktiga skulpturala värde medför å ena sidan att den tidigare skulpturens flerformiga och modulerade gestaltning blir ovidkommande och å andra sidan att en ny gräns och en ny frihet upprättas för skulpturen.

1966

Louise Nevelson

born 1900 in Kiev, Russia, lives in New York
f. 1900 i Kiev, Ryssland, bosatt i New York

Total-Totality-All 1959-64
black wood
$101^1/_2'' \times 169^1/_2'' \times 7''$

Total-totalitet-allt 1959-64
svartmålat trä
$258 \times 430 \times 18$ cm

My total conscious search not only includes the object, but the in-between places, the dawns and the dusks, the objective world, the heavenly spheres, the places between the land and the sea . . . Whatever creation man invents, the image can be found in nature. We cannot see anything of which we are not already aware. The inner, the outer equal one.

1957

You take a painting, you have a white virginal piece of canvas that is the world of purity and then you put your imagery on it, and you try to bring it back to the original purity. What can be greater? It is almost frightening. Well, the same thing happens with my sculpture. I have made a wall.

1972

Det jag medvetet sökt hela mitt liv har varit ett nytt seende, en ny bild, en ny insikt. Detta sökande gäller inte bara föremålet utan också mellanrummen, gryningar och skymningar, den verkliga världen, himlavalvet, zonerna mellan land och hav . . . Vad människan än uppfinner, så finns urbilden i naturen. Vi kan inte se någonting som vi inte redan är medvetna om. Inre och yttre samstämdhet.

1957

Ta en målning. Man har först ett stycke vit jungfrulig duk, en värld av renhet som man sedan projicerar sina föreställningar på, men så att den ursprungliga renheten till sist återvinns. Vad kunde vara större? Det är nästan skrämmande. Nåväl, samma sak händer med min skulptur. Jag har åstadkommit en vägg.

1972

Claes Oldenburg

born 1929 in Stockholm, lives in New York
f. 1929 i Stockholm, bosatt i New York

Geometric Mouse, Scale A 5/5 1969
aluminum
12′ high

Geometrisk mus. Skala A 5/5 1969
aluminium
366 cm hög

Originally, the Geometric Mouse was the design for a building to house a museum of pop objects. I have a little drawing showing it in colossal scale, and later I made a Geometric Mouse facade for the Chicago Contemporary Museum. Its geometricity is due to its origin as a building and also to the identification of the mouse with the early movie camera, as in the masks used in the performance of "Moviehouse" in 1965. Later, the Geometric Mouse was used as a letterhead for my Stockholm show in 1966 and thus became a form of self-portrait.

... the hard Geometric Mouse is in love with gravity - asleep, like an anchor on dry land.

The Geometric Mouse is its own shadow.

1971

Ursprungligen var den geometriska musen en idé till en byggnad som skulle rymma ett museum för popobjekt. Jag har en liten teckning av den i kolossalskala. Senare gjorde jag en geometrisk mus-fasad för Chicago Contemporary Museum. Den geometriska formen kommer från dess ursprung som byggnad och också från likheten mellan den tidiga filmkameran och en mus, som i maskerna i föreställningen "Moviehouse" 1965. Senare användes den geometriska musen som brevhuvud för min Stockholmsutställning 1966 och blev på så sätt ett slags självporträtt.

... den hårda geometriska musen är förälskad i tyngden - sovande som ett ankare på torra land.

Den geometriska musen är sin egen skugga.

1971

Nam June Paik

born 1932 in Seoul, Korea, lives in New York
f. 1932 i Söul, Korea, bosatt i New York

T.V. Chair 1968
23″ television set, chair

TV-stol 1968
23-tums TV, stol

Someday more elaborated scanning system and something similar to matrix circuit and rectangle modulations system in color TV will enable us to send much more information at single carrier band, f.i. audio, video, pulse, temperature, moisture, pressure of your body combined. If combined with robot made of rubber form expandable-shrinkable cathode ray tube, and if it is "une petite robotine" . . .
please, tele-fuck!
with your lover in RIO.
1965

En dag kommer mer utvecklade svepsystem och någonting liknande matriskretsarna och det rektangulära modulationssystemet i färg-TV att ge oss möjlighet att sända mycket mer information genom en enkel bärvåg, t. ex. en kombination av audio, video, puls, temperatur, fuktighet, kroppstryck. Om detta sammanförs i bildröret hos en gummirobot, tänjbar och krympbar, och om det är "une petite robotine" . . .
var så god, teleknulla!
med er älskade i RIO.
1965

(1944)

Do you know...?

How soon television will be in most homes?

How many small packages are lost annually?

The cruising range of small postwar planes?

18

Q. How soon after the war will television be available for the average home?

☐ 6 months ☐ 1 year ☐ 2 years

A. Experts estimate that television will be ready in about six months after civilian production resumes. And one of the important production techniques that will help speed delivery of

DO YOU KNOW...?

How soon TV-chair will be available in most museums ?

How soon artist will have their own TV channels ?

How soon wall to wall TV for video-art will be installed in most homes ?

A new design for TV-chair

(dedicated to the great communication-artist Ray Johnson)

Robert Rauschenberg

born 1925 in Port Arthur, Texas, lives in New York
f. 1925 i Port Arthur, Texas, bosatt i New York

Mud Muse 1971
drilling mud, sound and air valve system
4′ × 9′ × 12′

Lermusan 1971
borrlera, ljud- och tryckluftsystem
122 × 274 × 366 cm

The duty and beauty of painting is that there is no reason to do it nor any reason not to. It can be done as a direct act or contact with the moment you are awake, free and moving. It all passes and is never true literally as the present again. Leaving more work to be done (there's the hope).

1961

Måleriets skyldighet och skönhet består i att det varken finns några skäl att sysselsätta sig med det eller att avstå från det. Det kan begås som en omedelbar akt eller kontakt med det ögonblick man är vaken, fri och på väg. Det drar alltid förbi och blir aldrig bokstavligen sant som något närvarande en gång till. Så återstår alltid mer att göra (där är hoppet).

1961

Larry Rivers

born 1923 in New York, lives in New York
f. 1923 i New York, bosatt i New York

Movie House 1972
mixed media
72$^1/_4$″ × 184$^3/_4$″ × 6″

Biograf 1972
blandteknik
183 × 468 × 15 cm

This is not a movie house.
This is a masterpiece.
I've run out of ideological justifications - - help!
Am I in heaven or hell?

1973

Detta är inte en biograf.
Detta är ett mästerverk.
Jag har slut på ideologiska rättfärdiganden - -
hjälp!
Är jag i himlen eller i helvetet?

1973

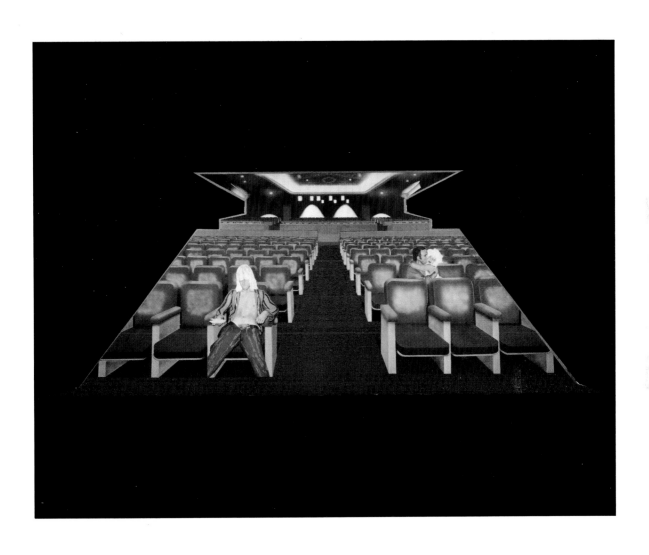

James Rosenquist

born 1933 in Grand Forks, North Dakota, lives in New York
f. 1933 i Grand Forks, North Dakota, bosatt i New York

Surface Tension 1973
wood, acrylic, tergal magic marker
46″ × 80″

Ytspänning 1973
trä, akryl, spritpenna
117 × 203 cm

I am interested in the visual inflation that accompanies the brass of sharp money ringing out space cadets and box tops. I hope to throw the visual boomerang. I'm interested in the anonymous quality of acceleration. I believe in the "fallibility" of anyone.

1962

Jag intresserar mig för den visuella inflation som ackompanjerar klirret av stålar, blecket som blåser ut rymdkadetter och rabattkuponger ur kartongerna. Jag skulle vilja kasta visuella bumeranger. Jag intresserar mig för det opersonliga i accelerationen. Jag tror på vars och ens "felbarhet".

1962

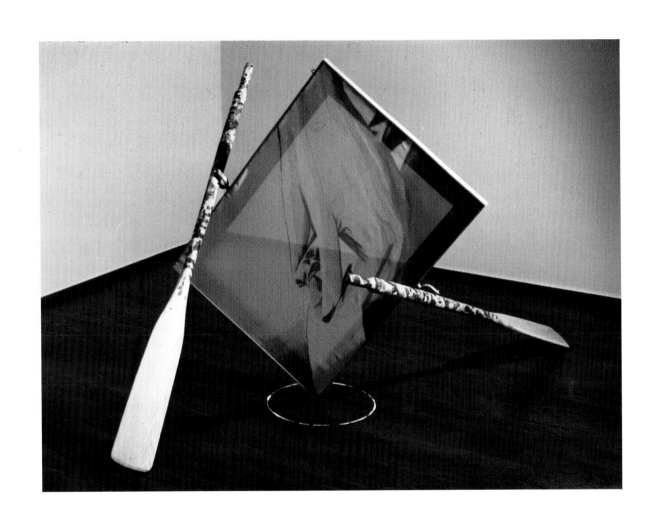

George Segal

born 1924 in New York City, lives in New Jersey
f. 1924 i New York City, bosatt i New Jersey

The Dry Cleaning Store 1964
plaster, wood, metal, paper, neon
7′×7′×8′

Kemtvätten 1964
gips, trä, metall, papper, neon
213×213×244 cm

I'm still not finished with that piece. That sign is a five-foot numeral one with a red outline, and the silver is there because that red neon changes it to pink and green. The neon light changes the blue metallic foil paper into a hundred shades of blue to purple to red, all in cubist crinkles. I've never since pursued the idea of being able to use light to fracture and disintegrate forms. I did "The Dry Cleaning Store" at the same time I did "Cinema" and always thought that one was female and the other male. "Cinema" is single and unified, and "The Dry Cleaning Store" fractures and splinters into a thousand pieces. I still sense some connection.

1972

Jag är fortfarande inte färdig med den här skulpturen. Skylten är en halvannan meter hög etta med röd kontur. Och silvret är där för att det förändras av den röda neonen till skärt och grönt. Neonljuset förändrar den blå metallfolien genom hundra nyanser av blått över purpur till rött, allt i kubistiska vinklar. Jag har sedan dess aldrig fullföljt tanken på att kunna bryta upp och upplösa former genom att använda ljus. "Kemtvätten" gjorde jag samtidigt som "Cinema" och jag föreställde mig alltid att den ena var kvinnlig och den andra manlig. "Cinema" är enkel och enhetlig medan "Kemtvätten" bryts upp och splittras i tusen bitar. Jag känner fortfarande något slags släktskap.

1972

Richard Serra

born 1939 in San Francisco, California, lives in New York
f. 1939 i San Francisco, Kalifornien, bosatt i New York

Untitled 1972
2 hot rolled steel squares 4″ × 4″ × 5′
2 hot rolled steel squares 6″ × 6″ × 6′

Utan titel 1972
2 varmvalsade fyrkantsstål 10 × 10 × 152 cm
2 varmvalsade fyrkantsstål 15 × 15 × 183 cm

To Roll	To Repair	rulla	lagra
To Crease	To Discard	vecka	slänga
To Fold	To Pair	vika	para
To Store	To Distribute	lagra	fördela
To Bend	To Surfeit	böja	frossa
To Shorten	To Scatter	förkorta	skingra
To Twist	To Complement	vrida	komplettera
To Twine	To Enclose	vira	innesluta
To Dapple	To Surround	fläcka	omge
To Crumple	To Encircle	skrynkla	omringa
To Shave	To Hide	skrapa	gömma
To Tear	To Cover	riva	täcka
To Chip	To Wrap	flisa	hölja
To Split	To Dig	klyva	gräva
To Cut	To Tie	skära	fästa
To Sever	To Bind	splittra	binda
To Drop	To Weave	tappa	väva
To Remove	To Join	avlägsna	hopfoga
To Simplify	To Match	förenkla	passa
To Differ	To Laminate	skilja	laminera
To Disarrange	To Hinge	uppläsa	haka
To Open	To Mark	öppna	märka
To Mix	To Expand	blanda	utbreda
To Splash	To Dilute	skvätta	förtunna
To Knot	To Light	knyta	belysa
To Spill	To Revise	spilla	revidera
To Droop	To Modulate	tyna	modulera
To Flow	To Distill	sluta	destillera
To Swirl	Of Waves	virvla	vågor
To Rotate	Of Electromagnetic	rotera	elektromagnetism
To Smear	Of Inertia	smeta	tröghet
To Flood	Of Ionization	översvämma	jonisering
To Fire	Of Polarization	elda	polarisation
To Impress	Of Refraction	inpränta	refraktion
To Inlay	Of Simultaneity	insira	simultanitet
To Lift	Of Tides	lyfta	tidvatten
To Curve	Of Reflection	kröka	återspegling
To Support	Of Equilibrium	stödja	jämvikt
To Hook	Of Symmetry	kroka	symmetri
To Suspend	Of Friction	sväva	friktion
To Spread	To Stretch	sprida	tänja
To Hang	To Bounce	hänga	studsa
Of Tension	To Erase	spänning	sudda
Of Gravity	To Spray	tyngd	spruta
Of Entropy	To Systematize	entropi	systematisera
Of Nature	To Refer	natur	syfta
Of Grouping	To Force	gruppering	tvinga
Of Layering	Of Mapping	lagring	kartläggning
Of Felting	Of Location	valkning	rum
To Collect	Of Context	samla	sammanhang
To Grasp	Of Time	gripa	tid
To Tighten	To Talk	spänna	tala
To Bundle	Of Photosynthesis	bunta	fotosyntes
To Heap	Of Carbonization	hopa	förkolning
To Gather	1967-68	hösta	1967-68
To Arrange		ordna	

Keith Sonnier

born 1941 in Mamou, Louisiana, lives in New York
f. 1941 i Mamou, Louisiana, bosatt i New York

Flocked 1969
latex and flock
144″ × 96″

Flockad 1969
latex och flock
366 × 244 cm

Improvised reflection - reflective improvisation.
1973

Improviserad reflektion - reflekterad improvi-
sation.
1973

Richard Stankiewicz

born 1922 in Philadelphia, Pennsylvania, lives in Huntington, Massachusetts
f. 1922 i Philadelphia, Pennsylvania, bosatt i Huntington, Massachusetts

1971-10
welded rusted steel pieces
36″ × 83″ × 36″

1971-10
svetsat järn
92 × 211 × 92 cm

Every sculptural form can be looked at as a personage, at least in its attitude or posture. I think this is the source of what is called presence. I like to try different ways of achieving this.
1973

Varje skulptural form kan ses som en mänsklig gestalt, åtminstone om man ser till dess åtbörd eller hållning. Jag tror att detta är källan till vad som kallas närvaro. Jag tycker om att pröva olika sätt att uppnå det.
1973

Frank Stella

born 1936 in Malden, Massachusetts, lives in New York
f. 1936 i Malden, Massachusetts, bosatt i New York

RAYY 1970
acrylic on canvas
10′ × 50′

RAYY 1970
akryl på duk
305 × 1524 cm

I'd rather talk about visual imprint or impact and the way one apprehends a painting or the way one looks at it and what you see right away, what your first impression or feeling about a painting is, how a painting addresses itself to the viewer . . . the idea was to keep the viewer from reading a painting. It seemed to be that you had to have some kind of way of addressing yourself to the viewer which wasn't so much an invitation as it was a presentation. In other words, I made something and it was available for people to look at.

The first thing you do see is it and not how it is done and it's not a particular record of anything. If this presents a kind of visual experience to you that's really convincing I think it can also be a moving experience - - - that apprehension-confrontation with the picture, that kind of visual impact, that kind of stamping out of an image, and that sense of painted surface being really like its own surface. It was an attempt to give the painting a life of its own in relationship to the viewer . . .

1970

Helst skulle jag vilja tala om ett slags stöt mot ögat, och om det avtryck den lämnar. Om hur man uppfattar en målning, hur man bara ser på den och om det som då genast syns. Vad ens första intryck eller känsla av en målning är, om hur målningen ger sig tillkänna för betraktaren . . . Tanken var att hindra betraktaren från att avläsa bilden. För mig verkade det nödvändigt att finna ett nytt sätt att vända sig till publiken, ett sätt som snarare innebar en presentation än en invitation. Jag gjorde med andra ord någonting, och det fanns där för folk att se på.

Det första man ser är tavlan, inte hur den är gjord, och den är inte en registrering av något. Om den visuella upplevelsen blir verkligt övertygande, då tror jag också att den blir känslomässig. - Att uppfatta bilden enbart i konfrontationen, som ett slags visuell stöt, ett slags instansning av bilden och en känsla av att den målade ytan verkligen är den man ser. Det var ett försök att ge målningen ett eget liv i förhållande till betraktaren.

1970

Cy Twombly

born 1929 in Lexington, Virginia, lives in Rome, Italy
f. 1929 i Lexington, Virginia, bosatt i Rom, Italien

Untitled 1971
oil and crayon on canvas
96″ × 177″

Utan titel 1971
olja och krita på duk
244 × 450 cm

A bird seems to have passed through the impasto with cream colored screams and bitter claw marks. His admirably esoteric information, every wash or line struggling for survival, particularize the sentiment.
Frank O'Hara on Cy Twombly's work 1955

En fågel tycks ha passerat färglagren med krämfärgade skrin och spår efter bittra klor. Hans beundransvärt förstuckna information - varje linje eller färgfläck kämpar här för att överleva - får särskilda känslor att kristallisera.
Frank O'Hara om Cy Twomblys måleri 1955

Andy Warhol

born 1930 in Philadelphia, Pennsylvania, lives in New York
f. 1930 i Philadelphia, Pennsylvania, bosatt i New York

Fox Trot 1961
oil on canvas
72″ × 54″

Foxtrot 1961
olja på duk
183 × 137 cm

I'd prefer to remain a mystery; I never like to give my background and, anyway, I make it all different all the time I'm asked. It's not just that it's part of my image not to tell everything, it's just that I forget what I said the day before and I have to make it all up over again. I don't think I have an image, anyway, favourable or unfavourable.

Jag föredrar att förbli ett mysterium, jag tycker aldrig om att redogöra för min bakgrund och, i vilket fall som helst, gör jag det på olika sätt varje gång jag tillfrågas. Det är inte bara det att det hör till min image att inte berätta allting, utan jag glömmer vad jag sagt föregående dag och så måste jag göra alltihop från början igen. Jag tror i varje fall inte att jag har någon image, varken fördelaktig eller ofördelaktig.

I never wanted to be a painter.
I wanted to be a tap-dancer.

Jag ville aldrig bli målare.
Jag ville bli stepp-dansör.

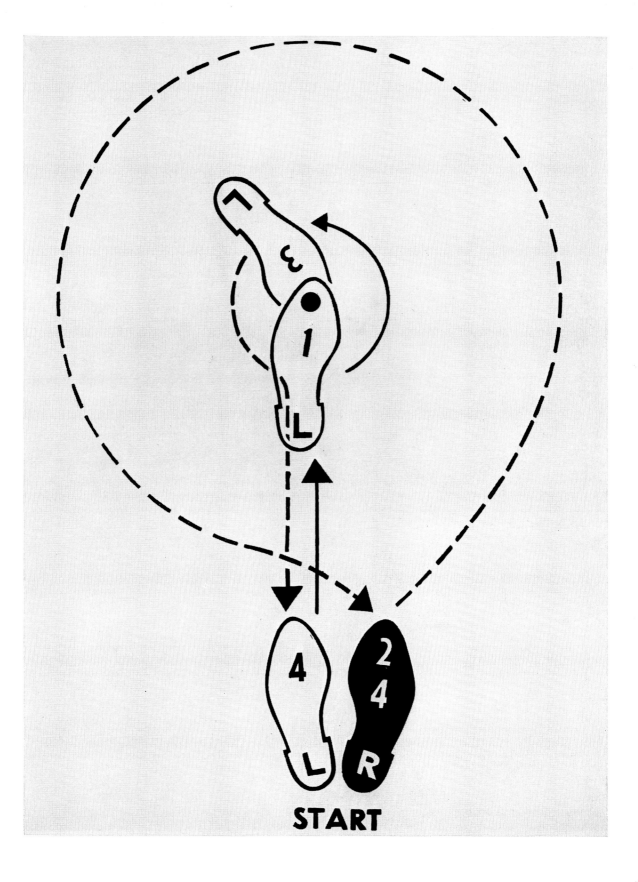

START

Kenneth Noland

born 1924 in Asheville, North Carolina, lives in New York
f. 1924 i Asheville, North Carolina, bosatt i New York

Pale Track 1969
acrylic on canvas
6″ × 8′

Blekt spår 1969
akryl på duk
15 × 245 cm

I'm interested in the pulse of each color finding its place in relation to pulses of other colors . . . It's more like getting the colors in accordance, a certain kind of accordance, you know, in a pulse sense which is tactile . . . one thing that people don't generally talk about is that the experience of color is tactile.

1970

Jag är intresserad av att den puls som varje färg för sig har skall falla in i de andra färgernas puls . . . Det är närmast ett sätt att få färgerna att stämma överens, men på ett särskilt sätt; vad jag kallar puls har med känseln att göra, jag menar - ett slags beröring . . . Folk talar så sällan om att upplevelsen av en färg är en taktil upplevelse.

1970

Addendum to the catalog under printing: Tillägg till katalogen under tryckningen:

Robert Whitman
born 1935 in New York, lives in New York
f. 1935 i New York, bosatt i New York

Dining Room Table 1963
mirror top table, Ø 5′
standard table height, film

Matbord 1963
spegelbord 152 cm Ø, film

I want a record of some kind of physical experience. If there is anything over the last twenty years my will is to be invisible, anonymous and responsible.

1973

Jag söker ett slags registrering av fysisk erfarenhet. Om det är någonting jag velat de senaste tjugo åren är det att vara osynlig, anonym och ansvarig.

1973

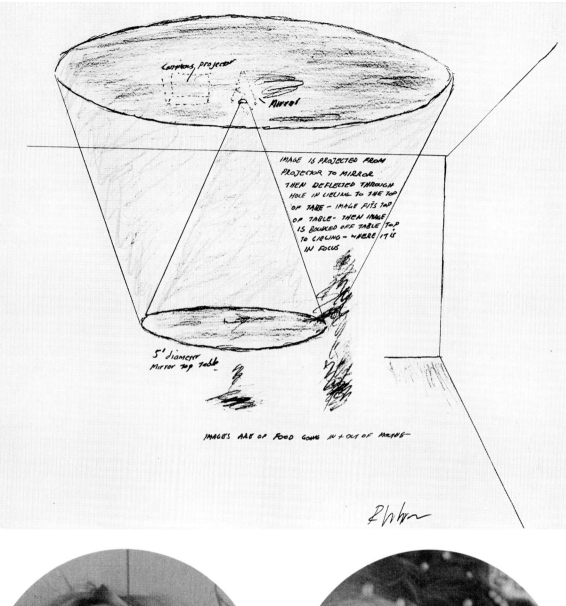

Campbells projector

Mirror

IMAGE IS PROJECTED FROM
PROJECTOR TO MIRROR
THEN DEFLECTED THROUGH
HOLE IN CIELING TO THE TOP
OF TABLE — IMAGE FITS TOP
OF TABLE — THEN IMAGE
IS BOUNCED OFF TABLE TOP
TO CIELING — WHERE IT IS
IN FOCUS

5' diameter
Mirror Top Table

IMAGES ARE OF FOOD GOING IN + OUT OF MOUTHS —